WOLFGANG AMADEUS MOZART

DIE ENTFÜHRUNG AUS DEM SERAIL
THE ABDUCTION FROM THE SERAGLIO

Overture to the Opera
K 384

Edited by/Herausgegeben von
Rudolf Gerber

Ernst Eulenburg Ltd

London · Mainz · Madrid · New York · Paris · Tokyo · Toronto · Zürich

Die Entführung aus dem Serail

Overture

W. A. Mozart
1756-1791
Köchel No. 384

Bemerkung: Die Pauken-und Triangelstimmen sind von Mozart auf einzelne Blätter notiert worden, die im Autograph der Berliner Staatsbibliothek jedoch fehlen. Unter Flauto piccolo verstand Mozart noch das alte Flageolett (vgl. C.Sachs, Reallexikon der Musikinstrumente S. 141), für das er aus spieltechnischen Gründen die folgenden Partien in der tieferen Oktave führte: S. 7 T. 6 - S. 11 T. 4; S. 17 T. 4 - S. 18 T. 7; S. 25 T. 7 - S. 30 T. 3. Im übrigen sind sämtliche kleinen Vorschlagsnötchen in ihre realen Werte aufgelöst worden.

No. 663

2

4

E.E.3759

6

E.E.3759

14

16

E.E.3759

18

E.E.3759

Bemerkung: Das Autograph verzeichnet noch 11 Takte, die unmittelbar in die 1. Szene des 1. Aktes hinüberleiten. Der vorstehende Schluß der Ouverture vom Zeichen ✛ an ist von Joh. André für konzertmäßige Aufführungen komponiert.

E.E.3759